Este libro pertenece a:

....

♥

Segunda edición: marzo 2009

Traducción: P. Rozarena

Título original: *Omdad ik zoveel van je hou*

Publicado por primera vez en Bélgica
por la editorial Clavis, Amsterdam-Hasselt, 2003.

© Texto e ilustraciones: Clavis, Amsterdam-Hasselt, 2003
© De esta edición: Editorial Luis Vives, 2008
Carretera de Madrid, km. 315,700
50012 Zaragoza
Teléfono: 913 344 883
www.edelvives.es
ISBN: 978-84-263-6725-9

Guido van Genechten

¡Porque te quiero tanto!

EDELVIVES

Osito era listo, muy listo.
Sabía dónde se escondían los peces
más deliciosos y cómo pescarlos.

Conocía el sabor de los copos de nieve
antes de que se derritieran en su boca.

Sabía que, a veces, el viento lo acariciaba
(¿o era el aliento cálido de mamá?).
Y que otras veces el viento era tan frío que cortaba.

Sabía cómo subir a una colina.
Y cómo deslizarse por ella sin hacerse daño.

Sabía que el hielo podía agrietarse y dividirse.
Si quedaban en bloques distintos,
Osito corría el riesgo de que la corriente
lo alejase de su madre.

Sabía que el sol brillaba durante el día
y que la luna alumbraba por la noche.

Osito sabía todas estas cosas
(y muchísimas más, por supuesto).

Pero había algunas cosas
que no comprendía muy bien.

—¿De dónde viene la nieve, mami?

—Verás, Osito, muy lejos de aquí, el sol calienta el mar.
El agua se evapora y se transforma en millones
de gotitas que flotan en el aire formando una nube.
El viento sopla muy fuerte y la nube llega aquí.
Como hace mucho frío, las gotitas
se convierten en copos de nieve.
Y cuando la nube tirita de frío, nieva.

Osito comprendió entonces por qué
los copos de nieve le gustaban tanto:
porque sabían a mar.

—Entonces, ¿por qué la nieve es blanca
y no azul como el mar? —preguntó Osito.

—Eso es difícil de explicar. Pues...
(las mamás no saben todas las respuestas),
la nieve es siempre blanca,
igual que los osos polares
somos siempre blancos.

—¿Y por qué somos siempre blancos? —quiso saber Osito.

—Porque el blanco es el color más bonito y el más tierno,
el que más me gusta y el color de los animales
que vivimos en estos parajes helados.

–¿Y si yo fuera amarillo? –preguntó Osito–.
¿También pensarías que soy muy guapo
y me querrías tanto como ahora?

–¡Claro que sí! –contestó mamá.

–¿Y si fuera rojo o verde o azul?
¿Seguirías queriéndome...?

–¡¡¡Por supuesto!!! –exclamó mamá.

–¿Y por qué, mami? –preguntó Osito.

Porque eres mi hijo y te quiero

muchísimo —contestó mamá.

Eso Osito ya lo sabía.